ALPHABETS
FANTASTIQUES

L'Aventurine

SOMMAIRE

INTRODUCTION

En sortant du lac de Genève, le Rhône rencontre la longue muraille du Jura qui le rejette en Savoie jusqu'au lac du Bourget. Là il trouve une issue et se précipite en France. En deux bonds il est à Lyon.

Au loin sur les croupes âpres du Jura les lits jaunes des torrents desséchés dessinaient de toutes parts des Y.

Avez vous remarqué combien l'Y est une lettre pittoresque qui a des significations sans nombre ? - L'arbre est un Y ; l'embranchement de deux routes est un Y; le confluent de deux rivières est un Y ; une tête d'âne ou de bœuf est un Y ; un verre

Giuseppe Mitelli. Alphabet en songe, exemplaire pour dessiner, Bologne, 1683.

7

sur son pied est un Y ; un lys sur sa tige est un Y ; un suppliant qui lève les bras au ciel est un Y.

Au reste cette observation peut s'étendre à tout ce qui constitue élémentairement l'écriture humaine. Tout ce qui est dans la langue démotique y a été versé par la langue hiératique. L'hiéroglyphe est la racine nécessaire du caractère. Toutes les lettres ont d'abord été des signes et tous les signes ont d'abord été des images.

La société humaine, le monde, l'homme tout entier est dans l'alphabet. La maçonnerie, l'astronomie, la philosophie, toutes les sciences ont là leur point de départ, imperceptible, mais réel; et cela doit être. L'alphabet est une source.

A, c'est le toit, le pignon avec sa traverse, l'arche, arx ; ou c'est l'accolade de deux amis qui s'embrassent et qui se serrent la main ; D, c'est le dos ; B, c'est le D sur le D, le dos sur le dos, la bosse ; C, c'est le croissant, c'est la lune ; E, c'est le soubassement, le pied-droit, la console et l'architrave, toute l'architecture à plafond dans une seule lettre ; F, c'est la potence, la fourche, furca ; G, c'est le cor ; H, c'est la façade de l'édifice avec ses deux tours ; I, c'est la machine de guerre lançant le projectile ; J, c'est le soc et c'est la corne d'abondance ; K, c'est l'angle de réflexion égal à l'angle d'incidence, une des clefs de la géométrie ; L, c'est la jambe et le pied ; M, c'est la montagne, ou c'est le camp, les tentes accouplées ; N, c'est la porte fermée avec sa barre diagonale ; O, c'est le soleil ; P, c'est le portefaix debout avec sa charge sur le dos ; Q, c'est la croupe avec sa queue ; R, c'est le repos, le portefaix appuyé sur son bâton ; S, c'est le serpent ; T, c'est le marteau ; U, c'est l'urne ; V, c'est le vase (de là vient qu'on les confond souvent) ; je viens de dire ce qu'est l'Y ; X, ce sont les épées croisées, c'est le combat ; qui sera vainqueur ? on l'ignore ; aussi les hermétiques ont-ils pris X pour le signe du destin, les algébristes pour le signe de l'inconnu ; Z, c'est l'éclair, c'est Dieu.

Ainsi, d'abord la maison de l'homme et son architecture, puis le corps de l'homme, et sa structure et ses difformités ; puis la justice, la musique, l'église ; la guerre, la moisson, la géométrie ; la montagne, la vie nomade, la vie cloîtrée ; l'astronomie ; le travail et le repos ; le cheval et le serpent ; le marteau et l'urne, qu'on renverse et qu'on accouple et dont on fait la cloche ;

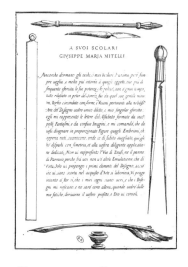

Giuseppe Mitelli. Alphabet en songe, exemplaire pour dessiner, Bologne, 1683.

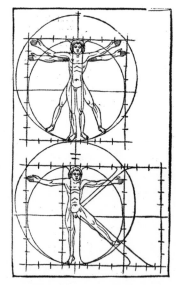

Geoffroy Tory. Champfleury auquel est contenu l'art et la science de la deue et vraye proportion des lettres selon le corps et le visage humain, Paris, 1520.

les arbres, les fleuves, les chemins ; enfin le destin et Dieu - voilà ce que contient l'alphabet.

Il se pourrait ainsi que, pour quelques uns des constructeurs mystérieux des langues qui bâtissent les bases de la mémoire humaine et que la mémoire humaine oublie, l'A, l'E, l'F, l'H, l'I, le K, l'L, l'M, l'N, le T, le V, l'Y, l'X et le Z ne fussent autre chose que les membrures de la charpente du temple.

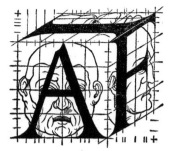

Geoffroy Tory. Champfleury auquelest contenu l'art et la science de la deue et vraye proportion des lettres selon le corps et le visage humain, Paris, 1520.

(Victor Hugo. France et Belgique. Alpes et Pyrénées. Voyages et excursions, Paris.)

GROTESQUES

Je galope dans les corridors du labyrinthe, je plane sur les monts, je rase les flots, je jappe au fond des précipices, je m'accroche par la gueule au pan des nuées ; avec ma queue traînante, je raye les plages, et les collines ont pris leur courbe selon la forme de mes épaules. Mais toi, je te retrouve perpétuellement immobile, ou bien du bout de ta griffe dessinant des alphabets sur le sable.

(Gustave Flaubert. La tentation de Saint Antoine.)

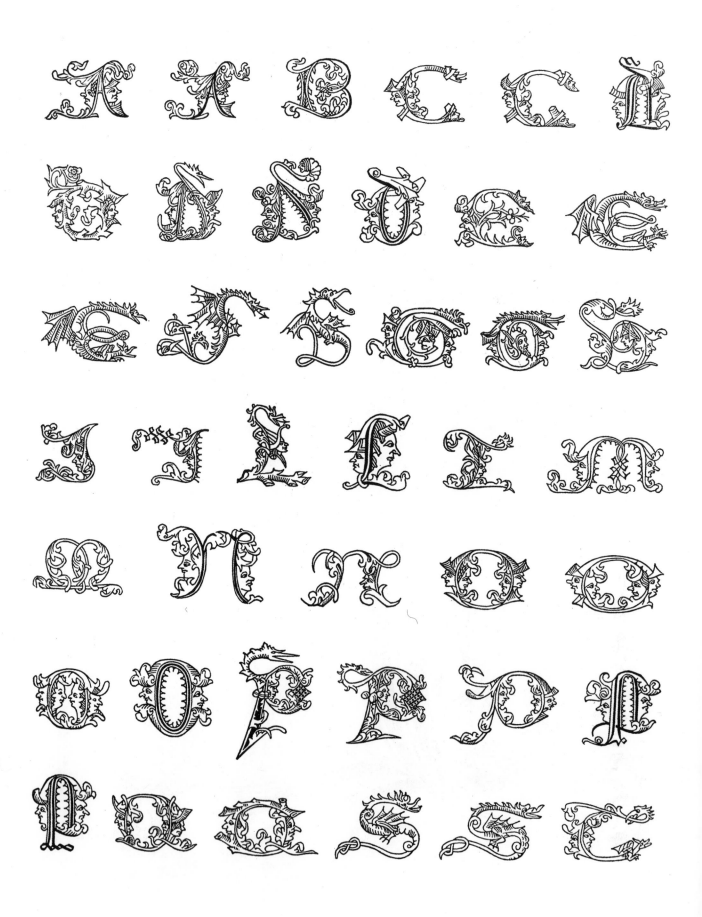

Lettrines. Ecole lyonnaise, XVème siècle.

La mer des hystoires

Atelier de Pierre le Rouge. La mer des hystoires,
grande lettre ornée du titre, Paris, 1488.

13

Lettrines, France, XVème siècle.

Jean de Vingle. La légende dorée, Paris, fin du XVème siècle.

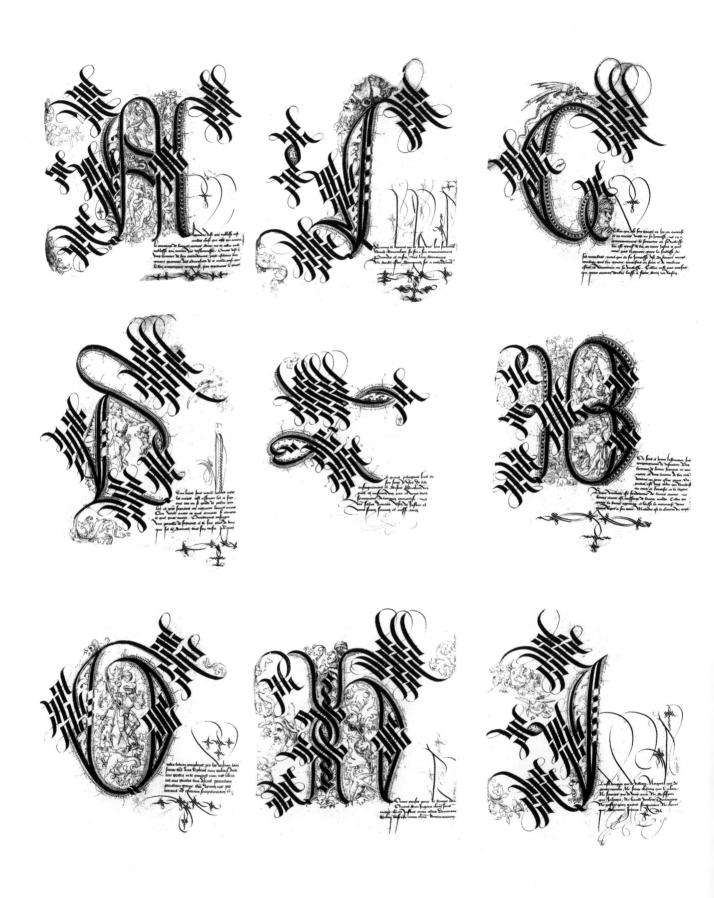

Alphabet gothique de Marie de Bourgogne, vers 1480.

16

Alphabet gothique de Marie de Bourgogne, vers 1480.

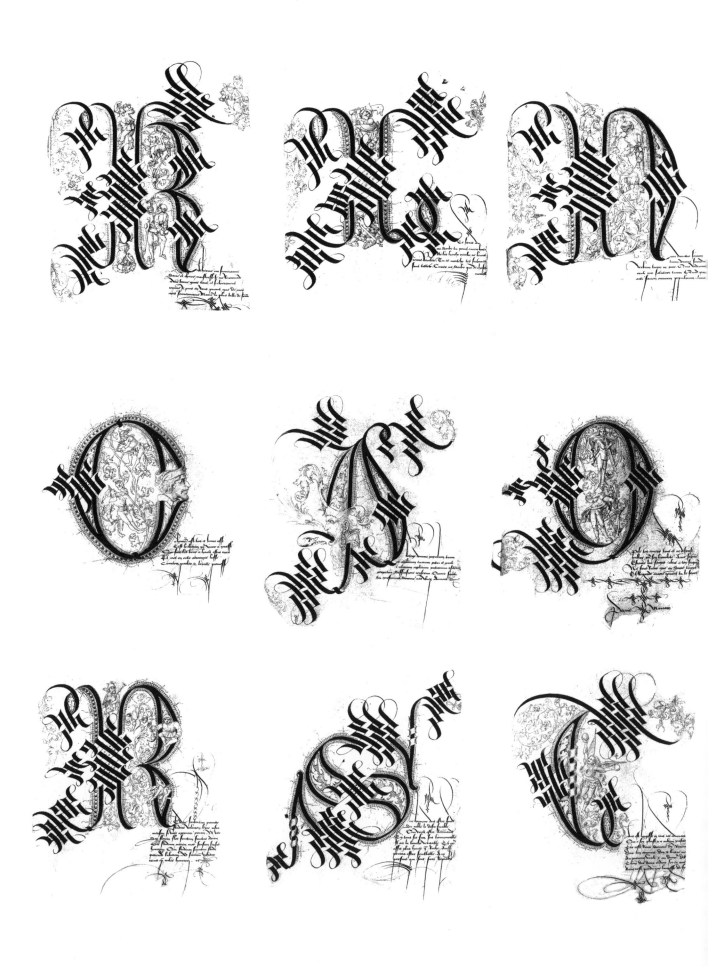

Alphabet gothique de Marie de Bourgogne, vers 1480.

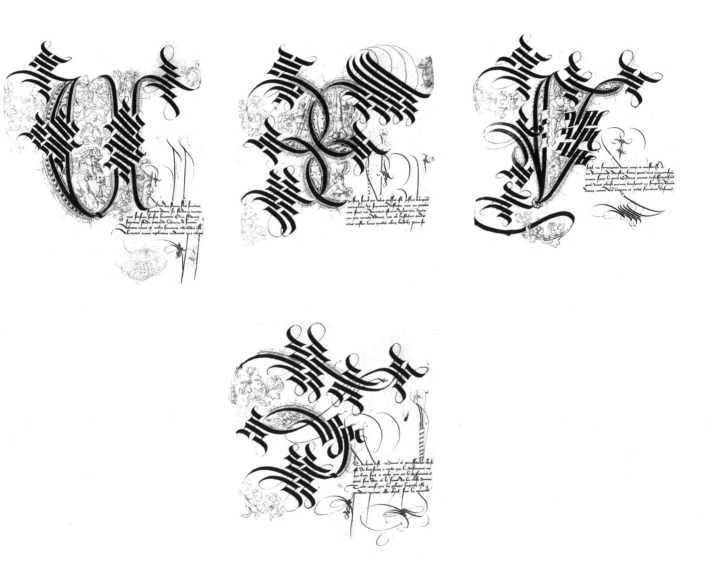

Alphabet gothique de Marie de Bourgogne, vers 1480.

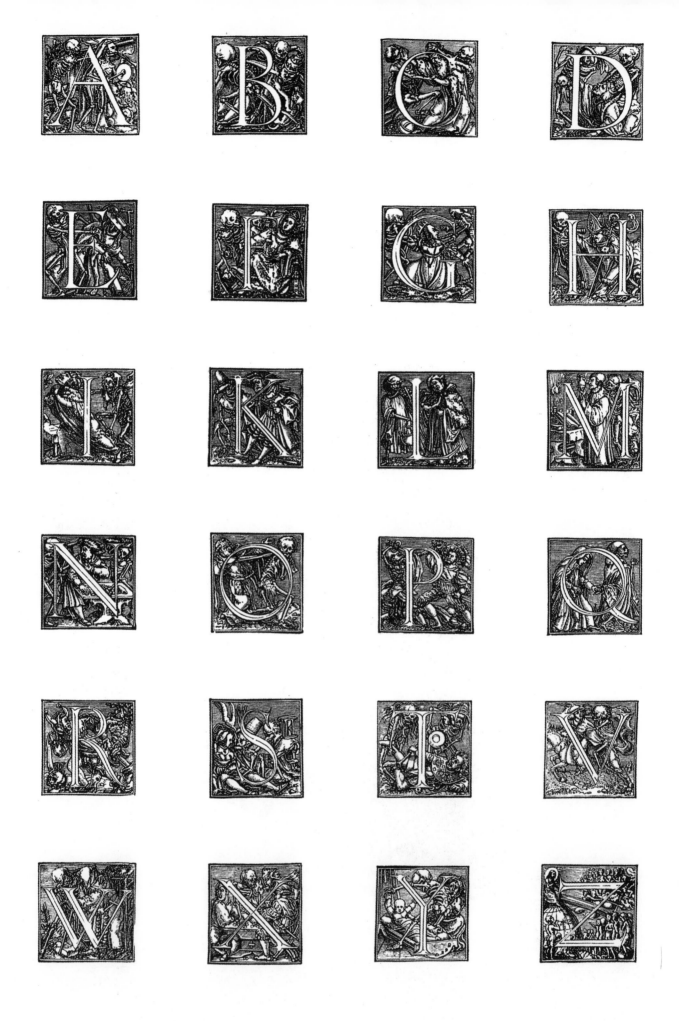

Hans Holbein. Alphabet de la mort, Dresde, XVIème siècle.

Maitre E.S. Lettre P, Allemagne, vers 1466-1467.

ANIMAUX

... Enfin (je ne cite plus qu'une des inventions de notre cher Barnum entre vingt autres) on vit paraître, l'année après, un abécédaire comique (funny), à un penny pièce, dans lequel de grosses lettres, peintes en couleur voyantes, étaient figurées par des porcs debout, couchés, vivants, dépecés, groupés, dans les positions les plus grotesques, avec des vers naïfs ou risibles en guise d'épigraphes. Ces animaux ayant beaucoup de physionomie, le dessinateur avait su tirer parti de leurs oreilles, de leur queue en tire-bouchon, de leur museau, des effets admirables...

(Hippolyte-Adolphe Taine. Vie et opinions de Monsieur Frédéric-Thomas Graindorge.)

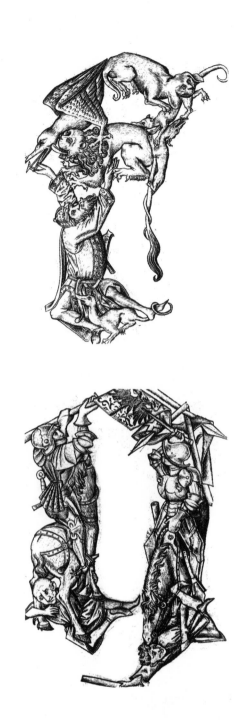

Maitre E.S. Lettre F et Q, Allemagne, vers 1466-1467.

Maitre E.S. Lettre T, Allemagne, vers 1466-1467.

25

Alde. Lettres ornées d'animaux, Venise, 1579.

Lucas Cranach. Allemagne, 1534.

Anonyme. Alphabet des animaux, Pays-Bas, fin du XVIIIème siècle.

Alphabet des animaux, Paris, XIXème siècle.

Lettrines, France, XVIIème siècle.

Piranèse, Lettrines, Italie, XVIIIème siècle.

31

Alphabet décoratif de style chinois, France, XIXème siècle.

Alphabet décoratif de style chinois, France, XIXème siècle.

Alphabet décoratif de style chinois, France, XIXème siècle.

Lettre initiale tirée de "Jugend", n°40, 1898.

FIGURES

... M n'est pas seulement une introduction, une porte aux deux battants divisés par la fissure, nos lèvres quand elles laissent échapper le souffle comme dans muet ou dans murmure (à moins que toutes ces verticales parallèles ne nous donnent l'impression d'une forêt), elle est à l'intérieur même de ma propre identité. Moi, me voici debout entre mes deux parois comme dans une maison ou dans une armoire. I est un flambeau allumé. O est le miroir qu'est la conscience : à moins que l'on ne préfére y constater un noyau, ou cette fenêtre ouverte par où se communique la lumière intime. Ame, c'est moi en tant que centre d'aspiration : vers cet o lumineux par exemple qui dans ami suit l'exhalation graphique tandis que dans aimer elle la précède. Mémoire : je me souviens de moi-même. Je suis un homme ou une femme, avec ma propre mine, avec un visage extérieur qui se moule sur l'intérieur. Avec un masque parfois, un visage portatif adapté à un manche....

(Paul Claudel. "Les mots ont une âme", in Positions et propositions, Oeuvres en prose. © Editions Gallimard.)

FIDES

Jan Theodor de Bry. Nova alphati effictio/Nejw kunstlicher alphabet, Francfort, 1595.

Jan Theodor de Bry. Nova alphati effictio/Nejw kunstlicher alphabet, Francfort, 1595.

Jan Theodor de Bry. Nova alphati effictio/Nejw kunstlicher alphabet, Francfort, 1595.

Jan Theodor de Bry. Nova alphati effictio/Nejw kunstlicher alphabet, Francfort, 1595.

41

Jan Theodor de Bry. Nova alphati effictio/Nejw kunstlicher alphabet, Francfort, 1595.

Jan Theodor de Bry. Nova alphati effictio/Nejw kunstlicher alphabet, Francfort, 1595.

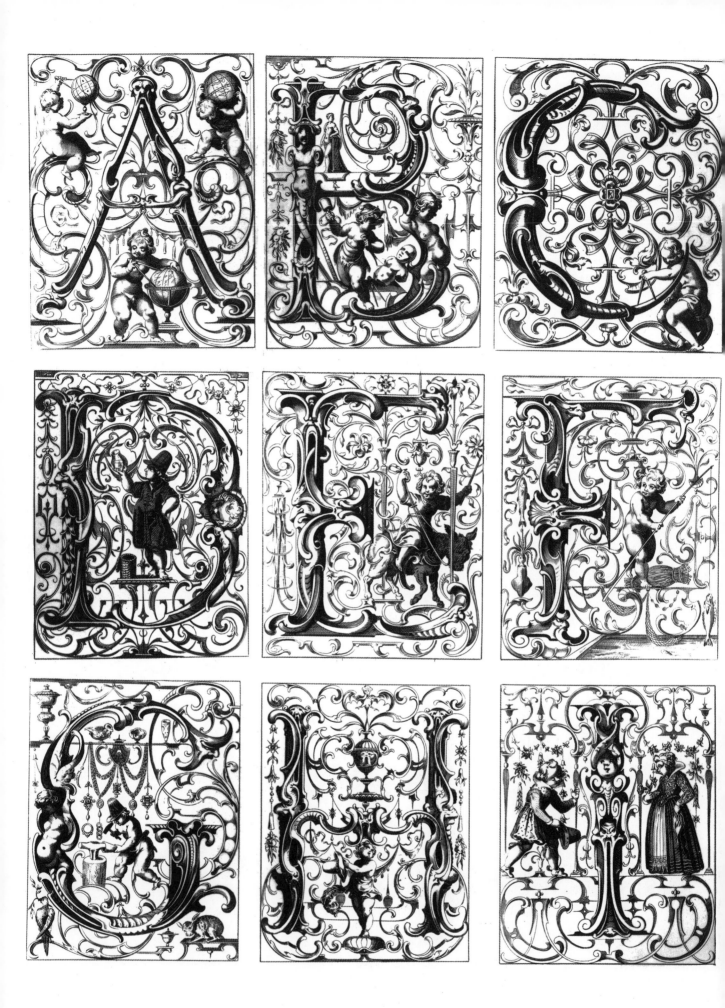

Lukas Killian. Newes/ABC/Buechlein inventirt, 1627.

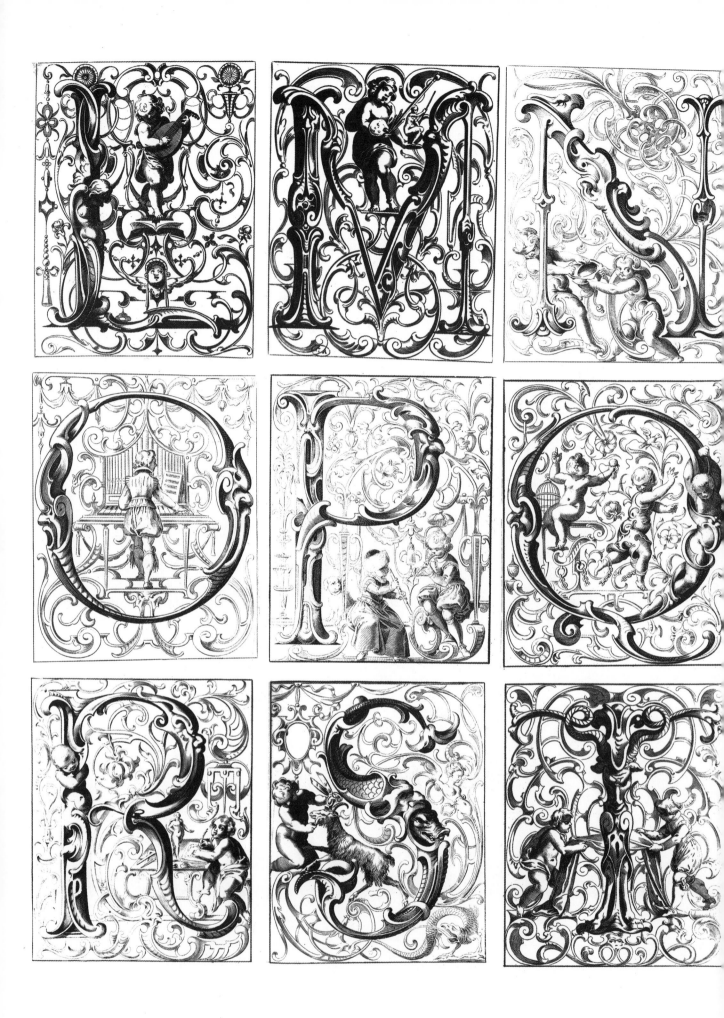

Lukas Killian. Newes/ABC/Buechlein inventirt, 1627.

Lukas Killian. Newes/ABC/Buechlein inventirt, 1627.

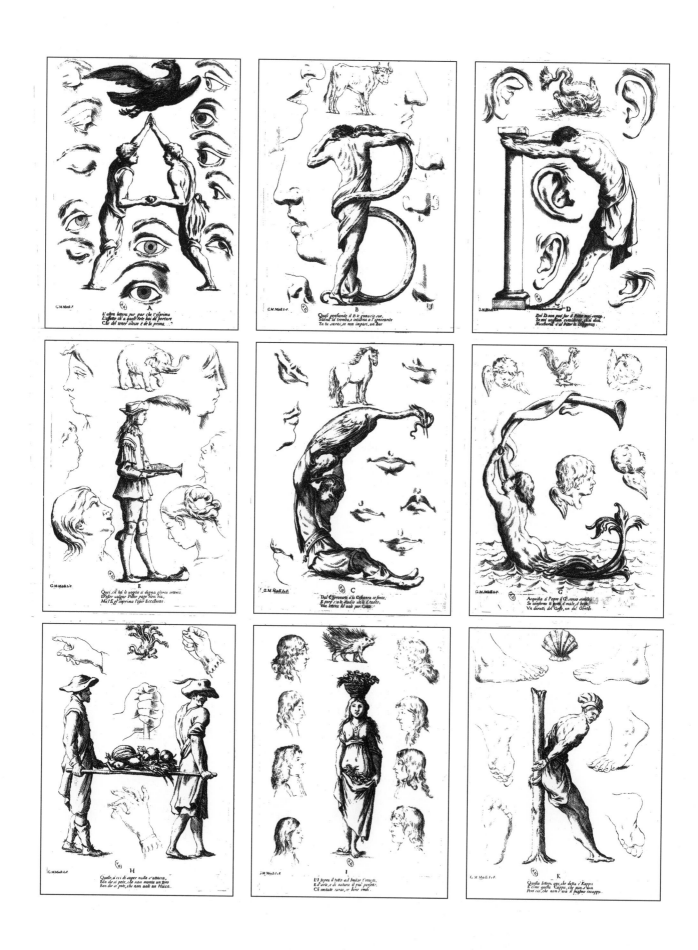

Giuseppe Mitelli. Alphabet en songe, exemplaire pour dessiner, Bologne, 1683.

G.M.Mitelli I. eF.

F

Vuol' l'Esse dir Fatica, e senza alcuna
Difficolta da lei nasce souente
Vn second' esse, e questo e' la Fortuna

Giuseppe Mitelli. Alphabet en songe, exemplaire pour dessiner, Bologne, 1683.

Giuseppe Mitelli. Alphabet en songe, exemplaire pour dessiner, Bologne, 1683.

C.V. Noorde. Alphabet hiéroglyphe, Pays-Bas, 1751.

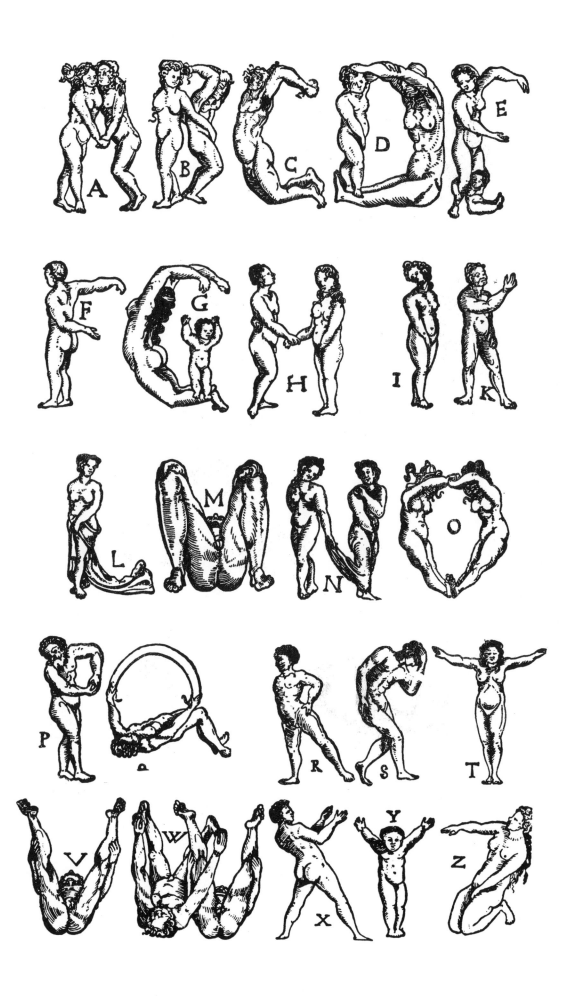

Peter Flötner. Menschenalphabet, Allemagne, vers 1534.

Holbein. Alphabet des enfants, Allemagne, XVIème siècle.

Lettrines, France, XVIIème siècle.

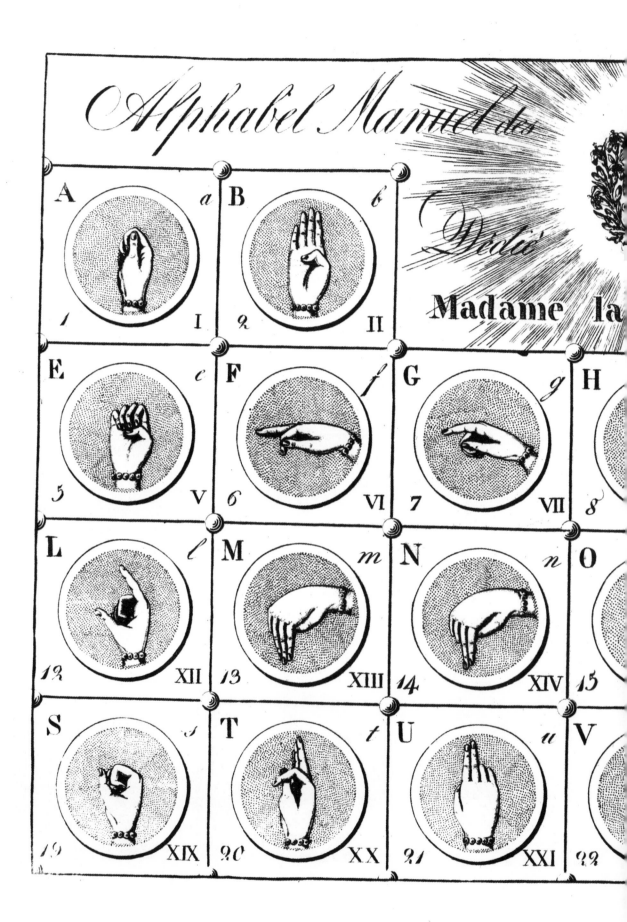

Alphabet manuel des signes pour les sourds muets, France, 1827.

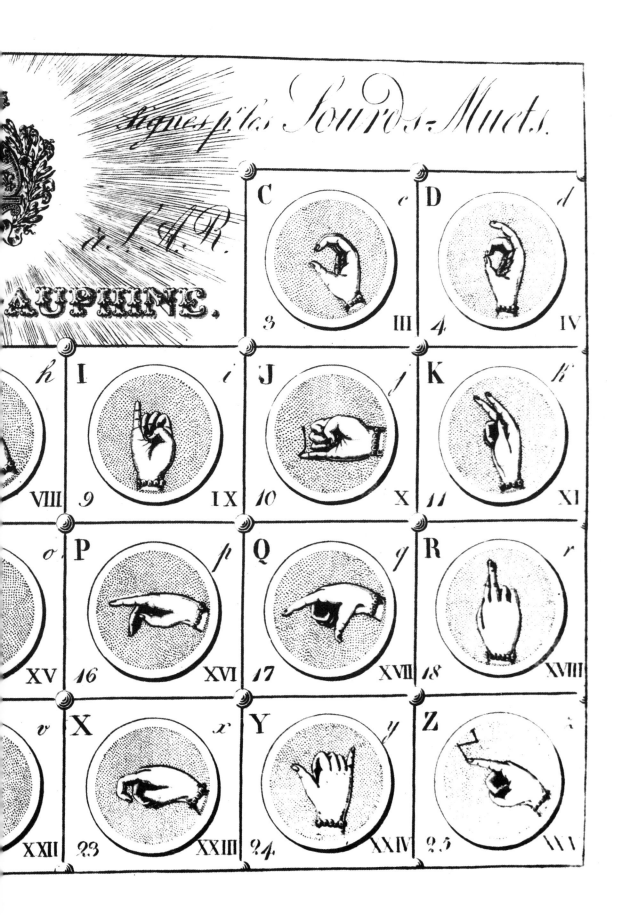

Achille Devéria. Alphabet, France, XIXème siècle.

Achille Devéria. Alphabet, France, XIXème siècle.

Kuehtmann, Dresde, XIXème siècle.

Kuehtmann, Dresde, XIXème siècle.

Lettres initiales tirées de "Jugend", n°40, 1898.

Lettres initiales tirées de "Jugend", n°40, 1898.

Concours de dessin pour la création de lettrines, Angleterre, 1898.

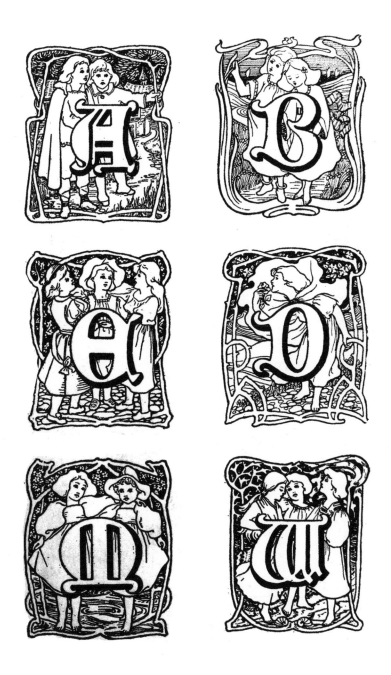

Concours de dessin pour la création de lettrines, Angleterre, 1898.

PAYSAGES

" Les lettres de l'alphabet peuvent être une belle chose, et pourtant elles ne suffisent pas à exprimer les sons ; quant aux sons, nous ne saurions nous en passer, et cependant, il s'en faut de beaucoup qu'ils arrivent à rendre le sens proprement dit ; nous finissons par nous en tenir aux lettres et aux sons, et nous ne sommes pas plus avancés que si nous n'avions rien de tout cela ; ce que nous arrivons à communiquer, ce qui peut nous être transmis, n'est jamais que la part la plus courante, et qui n'en vaut pas la peine.
- Tu te dérobes à ma question, lui dit son ami, car je ne vois pas le rapport qu'il y a avec les rochers et les arêtes.
- Si je considérais justement les fissures et les crevasses comme des lettres, que je cherche à les déchiffrer, que j'en forme des mots et que j'apprenne à les lire couramment, qu'aurais tu à m'objecter ?
- Rien, sinon que ton alphabet me paraît un peu démesuré.
- Moins que tu ne penses, le tout est de l'apprendre, comme tout autre. La nature n'a qu'une seule graphie, et je n'ai pas ici à me perdre dans toutes sortes de griffonnages. Je n'ai pas à craindre, comme il arrive après s'être penché longuement et amoureusement sur un manuscrit, qu'un critique rigoureux vienne m'assurer que tout cela n'est qu'interprétation."

(Goethe. Wilhelm Meister, Les années de voyage. Traduction de Blaise Briod, © Editions Gallimard.)

Piranèse. Lettrines, Italie, XVIIIème siècle.

Piranèse. Lettrines, Italie, XVIIIème siècle.

Lettrines, Italie, XVIIIème siècle.

Lettrine, France, XVIIème siècle.

A. Pazzi. Lettrines, Italie, XVIIème siècle.

A. Pazzi. Lettrines, Italie, XVIIème siècle.

Cie Harmsen. Initiales gravées en 1818, Pays-Bas.

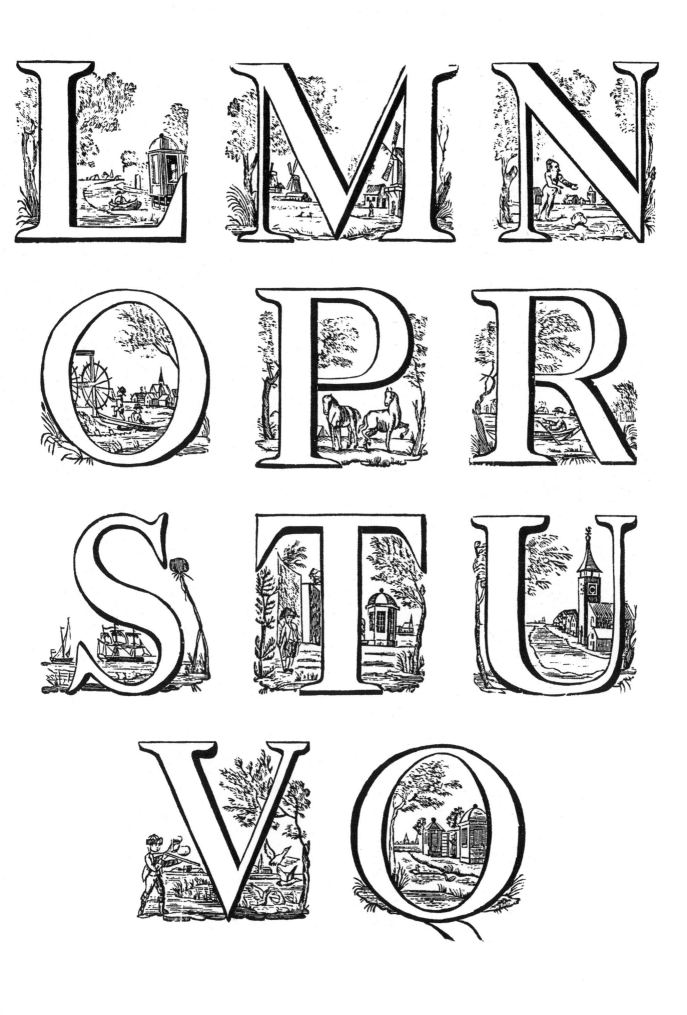

Cie Harmsen. Initiales gravées en 1818, Pays-Bas.

Cie Harmsen. Initiales gravées en 1818, Pays-Bas.

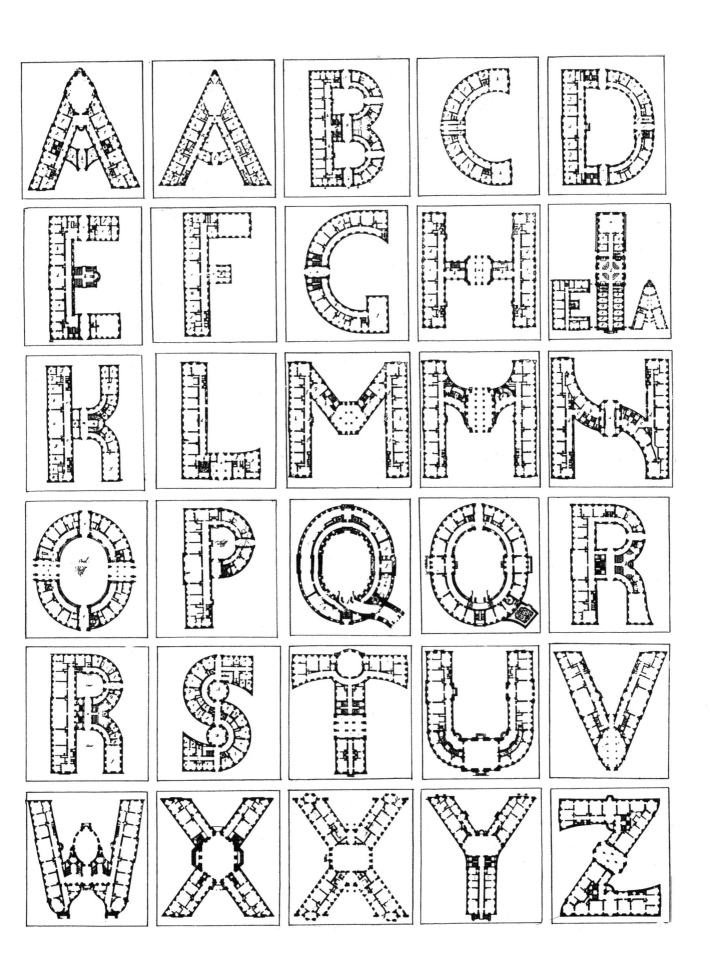

Johann David Steingruber, Alphabet architectonique, Swabach, 1773.

Concours de dessin de lettrines, Paris, 1899.

Concours de dessin de lettrines, Paris, 1899.

IMAGERIE POPULAIRE

... Sa joie, son rêve secret de dévouement, était de vivre toujours en compagnie d'un être jeune qui ne grandirait pas, qu'il instruirait sans cesse, dans l'innocence duquel il aimerait les hommes. Dès le troisième jour, il apporta un alphabet. Muche le ravit par son intelligence. Il apprit ses lettres avec la verve parisienne d'un enfant des rues. Les images de l'alphabet l'amusaient extraordinairement... Muche, au bout de deux mois, commençait à lire couramment, et ses cahiers d'écriture étaient très propres.

(Emile Zola. Le ventre de Paris.)

Alphabet comique, Paris, vers 1840.

Alphabet comique, Paris, vers 1840.

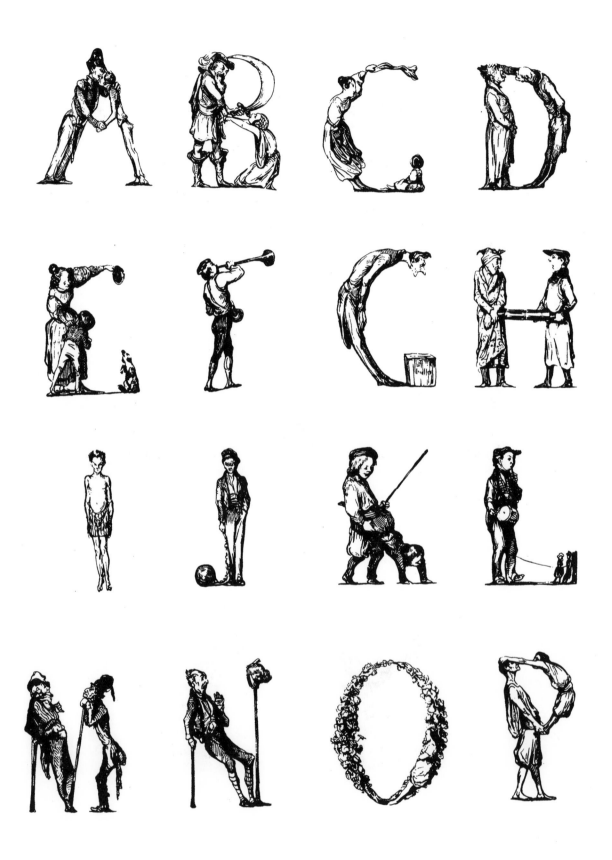

Daumier. Alphabet, Paris, 1836.

84

Daumier. Alphabet, Paris, 1836.

Lettrines, France, XIXème siècle.

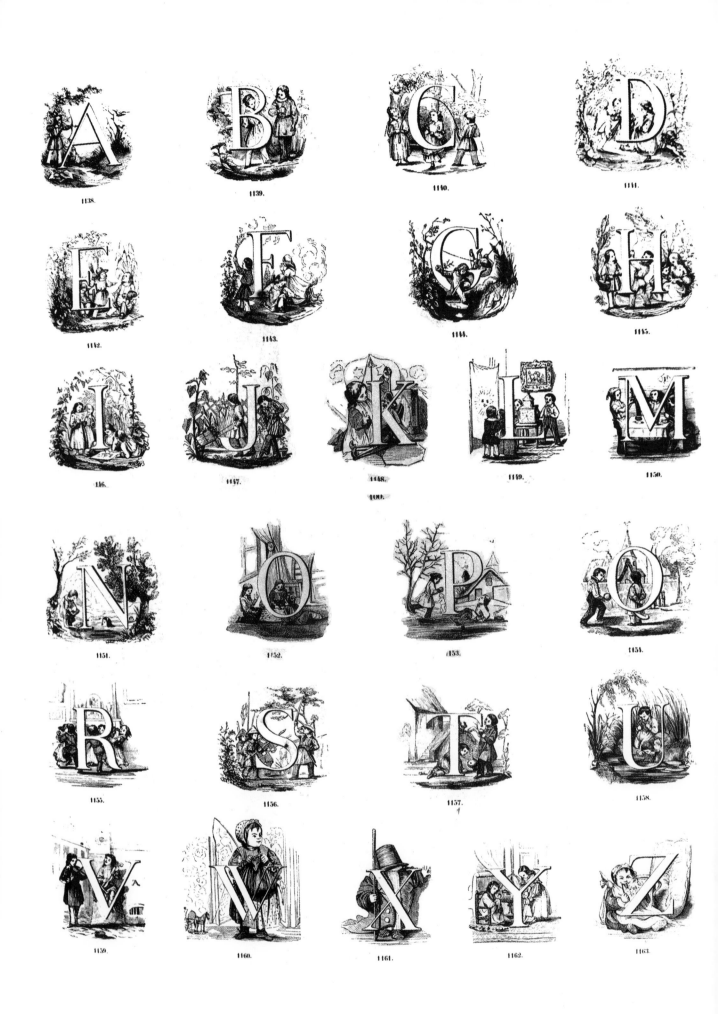

Imprimerie De Lacrampe et Cie. Alphabet enfantin, Paris, 1838.

Ch. Laboulaye. Specimens de Caractères de la Fonderie Générale, Paris, vers 1850.

Arcos, Forain. Lettres fantaisie, Paris, XIXème siècle.

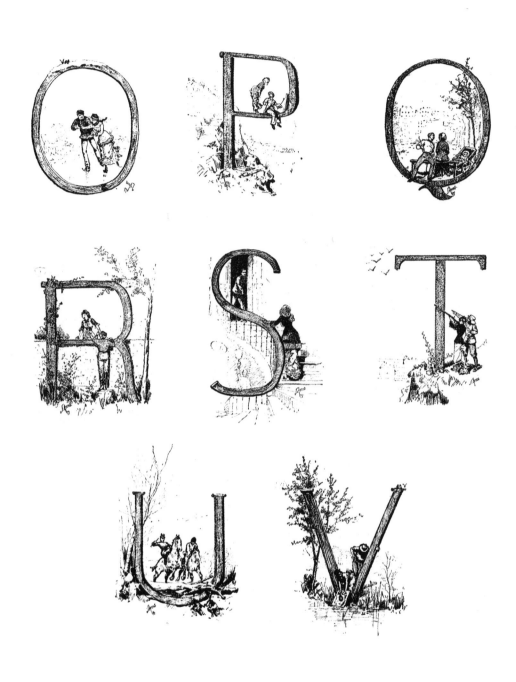

Arcos, Forain. Lettres fantaisie, Paris, XIXème siècle.

Bibliographie

Paul Claudel. *Les mots ont une âme*, in Œuvres en prose, Paris, Bibliothèque de la Pléiade, Gallimard, 1965.

Gustave Flaubert. *La tentation de Saint Antoine*, Paris, 1874.

Goethe. Wilhelm Meister. *Les années de voyage*, Paris, Bibliothèque de la Pléiade, Gallimard, 1954.

Victor Hugo. *France et Belgique. Alpes et Pyrénées. Voyages et excursions*, Paris, 1910.

Massin. *La lettre et l'image*, Paris, Gallimard, 1970.

Taine. *Vies et opinions de M. Frédéric-Thomas Graindorge*, Paris, 1857.

Emile Zola. *Le ventre de Paris*, Paris, 1873.

CRÉDITS PHOTOGRAPHIQUES :

Bibliothèque des Arts Décoratifs - Paris - Collection Maciet pages 7-8-9-11-12-13-14-15-20-23-26-27-30-31-32-33-34-35-37-38-39-400-41-42-43-48-49-500-51-54-56-58-59-60-62-63-64-65-67-68-69-70-71-72-73-78-79-81-82-86-88-89-90-91. Bibliothèque des Arts Décoratifs - Paris pages 44-45-46-47. © Photo Réunion des Musées Nationaux, Musée du Louvre, collection Rotschild pages 16-17-18-19-21-24-25. © Photo Bibliothèque Nationale de France pages 8-9. Reproductions Bibliothèque des Arts Décoratifs - M.Peersman.

Achevé d'imprimer en mars 1995 par l'Imprimerie Hérissey
N° d'imprimeur : 68392
N° d'édition : 95 BK 13
Dépôt légal : 1er trimestre 1995
ISBN 2-84190-003-7
Imprimé en France